Download Your Fre

Download your bonus free MP3 audiobook read in English by the author at:

badgerlearning.co.uk/free-audio-downloads

Password: **ADAaudio**

Each book includes a school site license for the related download. This means you can share the files with your colleagues & students within your school only. **Please do not share elsewhere.** You are permitted to share these files with students who are home learning, however the files must not be hosted on a publicly accessible site. Unfortunately we are unable to assist with compatibility queries, please check that your intended devices and/or systems can open MP3s before downloading.

Badger Publishing Limited
Oldmedow Road,
Hardwick Industrial Estate,
King's Lynn PE30 4JJ
Telephone: 01553 816 083
www.badgerlearning.co.uk

2 4 6 8 10 9 7 5 3 1

Deep Space Dinosaur Disaster ISBN 978-1-78837-804-8

Editor: Claire Morgan
Translation: Yana Surkova
Design: Adam Wilmott
Illustration: Anthony Williams
Cover design: Adam Wilmott

Deep Space Dinosaur Disaster

Катастрофа динозаврів у відкритому космосі

Contents

Зміст

Vocabulary and useful phrases

jumping Jupiter = an exclamation of surprise

flux field = a part of the starship's engine that helps it to navigate

on the blink = not working properly

galaxy phone = Wanda's smart phone that works throughout the galaxy

walk on the wild side = risky behaviour

what are you on about? = what do you mean?

wouldn't say boo to a goose = someone who is timid

knees turn to jelly = being frightened

'do-you-think-they-saurus' = Jack thinks this is the name of a dinosaur when Wanda is actually asking if the dinosaurs can see them

scare them out of their skins = terrify them

nervous wreck = a person who is very stressed

stopped dead in their tracks = stopped quickly

aim for the funny bone = Wanda is saying she will do her best

turned tail = ran away

closing fast = catching up quickly

all-systems-go = ready

meals on wheels = food that is delivered to you

close call = lucky escape

Лексика та корисні фрази

Лексика та корисні фрази

jumping Jupiter = вигук здивування

flux field = частина двигуна космічного корабля, яка допомагає йому орієнтуватися

on the blink = не працює належним чином

galaxy phone = смартфон Ванди, який працює по всій галактиці

walk on the wild side = ризикована поведінка

what are you on about? = що ти маєш на увазі?

wouldn't say boo to a goose = хтось боязкий

knees turn to jelly = бути наляканим

"do-you-think-they-saurus" = Джек думає, що це назва динозавра, коли Ванда насправді запитує, чи можуть динозаври їх бачити

scare them out of their skins = налякати їх

nervous wreck = людина, яка перебуває у стані сильного стресу

stopped dead in their tracks = швидко зупинилися

aim for the funny bone = Ванда каже, що зробить все можливе

turned tail = втік

closing fast = швидко наздогнати

all-systems-go = готовий

meals on wheels = їжа, яку вам доставляють

close call = вдала втеча

Book introduction

Jack is an actor who plays an alien detective on a TV show called Sci-Fi Spy Guy.

Wanda is the Galactic Union's Alien Welfare Officer for Earth (an ACTUAL alien detective).

Together, Jack and Wanda are a team called the **Alien Detective Agency**.

STEALTH is the name of Jack's time travelling starship, which stand for **S**pace **T**ripping **E**xtra **A**tomic **L**aser **T**ime **H**opper. It can think and talk for itself, but only Jack and Wanda know this.

In this adventure, Jack and Wanda take a trip to **Planet Magnum Saurus**, which is full of fierce dinosaurs!

Вступ до книги

Джек - актор, який грає інопланетного детектива в телевізійному шоу під назвою "Науково-фантастичний шпигун".

Ванда - офіцер Галактичного союзу з питань добробуту інопланетян на Землі (СПРАВЖНІЙ інопланетний детектив).

Разом Джек і Ванда - це команда під назвою «**Інопланетне детективне агентство**».

СТЕЛС - це назва мандрівного в часі космічного корабля Джека, що означає «Космічний мегаатомний лазерний стрибун у часі». Він може думати і говорити, але про це знають тільки Джек і Ванда.

У цій пригоді Джек і Ванда вирушають на планету **Магнум Саурус**, яка кишить лютими динозаврами!

Chapter 1
A bumpy ride

Jack was snoozing in his seat when STEALTH's alarm went off.

His eyes snapped open. He saw Wanda wrestling with the starship's controls.

"Jumping Jupiter," he yelled. "What's going on?"

Wanda glanced across at him. "Buckle up, Jack," she said. "We are in for a bumpy ride!"

Jack stared out of the view screen. STEALTH was hurtling towards the surface of a planet.

"Do something!" he shouted.

"Like what?" demanded a grim-faced Wanda. "This thing is out of control."

"Hit the manual over-ride button," Jack spluttered.

Розділ 1
Складний шлях

Джек дрімав на своєму сидінні, коли спрацювала сигналізація СТЕЛС.

Він розплющив очі. Він побачив Ванду, яка боролася з управлінням зорельота.

"Стрибаючий Юпітер", - закричав він. "Що відбувається?"

Ванда глянула на нього. "Пристебнись, Джеку", - сказала вона. "Нас чекають деякі ускладнення на шляху!"

Джек витріщився на оглядовий екран. СТЕЛС мчав до поверхні планети.

"Зроби щось!" - кричав він.

"Що саме?" - запитала Ванда з похмурим обличчям. "Ця штука вийшла з-під контролю."

"Натисни кнопку ручного керування", - прошипів Джек.

"Duh, I already have," said Wanda. "It's not working."

"Then we're doomed!" wailed Jack, covering his eyes with his hands. "I knew I should never have let you drive!"

"Oh right," said Wanda. "Like you could do better!"

The calm voice of STEALTH came out of the ship's speakers. "Don't panic guys," it said. "I'm just having a little problem with the flux field."

"But can you fix it before we crash?" screamed Jack.

"Possibly," said STEALTH. "Anyway, we'll soon find out. There are only ten seconds left to impact!"

"Та я вже натиснула", - сказала Ванда. "Вона не працює."

"Тоді ми приречені!" - заволав Джек, закриваючи очі руками. "Я знав, що не повинен був дозволяти тобі керувати кораблем!"

"О, так," - сказала Ванда. "Ніби ти міг би зробити краще!"

З корабельних динаміків пролунав спокійний голос СТЕЛС. "Не панікуйте, друзі", - сказав він. "У мене просто виникла невелика проблема з потоковим полем".

"Але ти можеш полагодити її до того, як ми розіб'ємося?" - закричав Джек.

"Можливо", - відповів СТЕЛС. "У будь-якому разі, ми скоро дізнаємось. До зіткнення залишилося всього десять секунд!"

Chapter 2
Crash landing

STEALTH burst out of the planet's sky like a silver streak of lightning.

The ground rushed up to meet it. At the last second, STEALTH pulled out of its nosedive. It skimmed the tops of trees and then landed like a duck on a frozen lake.

It finally skidded to a halt.

"Hey, STEALTH, that wasn't your best ever landing," said Jack. "In fact, it doesn't even make the top ten."

"Oh, stop moaning, Jack," said Wanda. "At least we're still alive."

"Only just," groaned Jack as he gently rubbed a large bump on his head.

"Well, that's good enough for me," said Wanda. "Even if I do hurt in places where I didn't even know I had places."

"Sorry about that," said STEALTH. "But it's not easy landing when your flux field is on the blink."

Розділ 2
Аварійна посадка

СТЕЛС вирвався з неба планети, як срібний спалах блискавки.

Земля кинулася йому назустріч. В останню секунду СТЕЛС вирвався з піке. Він пронісся над верхівками дерев, а потім приземлився, як качка на замерзле озеро.

Нарешті він зупинився.

"Гей, СТЕЛС, це була не найкраща твоя посадка", - сказав Джек. "Насправді вона навіть не входить у першу десятку".

"Припини скиглити, Джеку", - сказала Ванда. "Принаймні, ми все ще живі."

"Тільки ось", - застогнав Джек, обережно розтираючи велику шишку на голові.

"Що ж, мені цього достатньо", - сказала Ванда. "Навіть якщо мені боляче в тих місцях, про які я навіть не знала, що вони у мене є".

"Вибачте," - сказав СТЕЛС. "Але нелегко приземлятися, коли твоє потокове поле блимає".

"So where have we landed?" asked Wanda.

"This is planet Magnum Saurus," replied STEALTH. "Now why don't you guys leave me in peace while I fix the damage to my system?"

"Sounds like a plan," said Jack. "Come on, Wanda. Let's go."

Jack and Wanda climbed out of the ship. They were on a wide, grassy plain.

In the distance they could see a lake and some woods. The air was sweet and fresh. Jack smiled. "Hey, Magnum Saurus seems like a nice planet," he said. "I'm going to explore it."

He strode off towards the lake.

"No, Jack, come back," said Wanda. "We should stay next to STEALTH. We don't know what sort of aliens live here..."

But Jack wasn't listening. He'd seen a small lizard-like creature hopping towards the water and he was following it.

Wanda pulled her galaxy phone from her pocket. She tapped the app for planet names and a hologram showed her a scene about life on Magnum Saurus.

She gasped in horror and then raced after Jack.

"Так де ми приземлилися?" - запитала Ванда.

"Це планета Магнум Саурус", - відповів СТЕЛС. "А зараз чому б вам, друзі, не залишити мене в спокої, поки я виправлю пошкодження своєї системи?"

"Звучить як план", - сказав Джек. "Ходімо, Вандо. Ходімо."

Джек і Ванда вибралися з корабля. Вони опинилися на широкій трав'янистій рівнині.

Вдалині виднілося озеро і кілька лісів. Повітря було солодким і свіжим. Джек посміхнувся. "Слухай, Магнум Саурус, здається, гарна планета", - сказав він. "Я збираюся дослідити її".

Він попрямував до озера.

"Ні, Джеку, повертайся", - сказала Ванда. "Ми повинні залишатися поруч зі СТЕЛС. Ми не знаємо, що за прибульці тут живуть…"

Але Джек не слухав її. Він побачив маленьку істоту, схожу на ящірку, яка стрибала до води, і пішов за нею.

Ванда витягла з кишені свій галактичний телефон. Вона натиснула на додаток з назвами планет, і голограма показала їй сцену про життя на Магнум Саурусі.

Вона затамувала подих від жаху, а потім побігла за Джеком.

Chapter 3
A walk on the wild side

Jack was watching a group of brightly coloured lizards drinking from the lake.

Wanda charged up to him. She was red faced and out of breath. This startled the lizards. They stared at Wanda and Jack. Then they squealed with fright and scampered away into the woods.

"Now look what you've done, Wanda," he snapped. "You've scared away the wildlife."

"Sorry about that," she gasped. "But we need to get back to STEALTH before the wildlife scares us."

Jack pulled a face. "What are you on about?" he asked. "Those little guys wouldn't say boo to a goose."

Розділ 3
Прогулянка дикою природою

Джек спостерігав за групою яскравих ящірок, які пили воду з озера.

Ванда підбігла до нього. Вона мала червоне обличчя і задихалася. Це налякало ящірок. Вони витріщилися на Ванду і Джека. Потім вони злякано заверещали і позадкували до лісу.

"Подивись, що ти накоїла, Вандо, - огризнувся Джек. "Ти налякала диких тварин".

"Вибач за це", - задихаючись, промовила вона. "Але ми повинні повернутися до СТЕЛС, перш ніж дикі тварини налякають нас".

Джек витягнув обличчя. "Про що ти говориш?" - запитав він. "Ці маленькі створіння і гусака не налякають."

"They wouldn't," agreed Wanda. "But Planet Magnum Saurus means 'Planet of the Large Lizards'."

Jack gulped. "That does not sound good," he said.

"It isn't," said Wanda. "I'm guessing there must be some big guys around here that would make T-Rex look like a fluffy kitten and I so do not want to meet them."

Jack nodded. Then he saw something that made his knees turn to jelly. "But I don't think you have any choice," he said. "Because here they come!"

Wanda spun round and saw two huge raptor lizards heading towards the lake.

"Можливо", - погодилася Ванда. Але планета Магнум Саурус означає "Планета великих ящірок".

Джек ковтнув. "Це звучить не дуже добре", - сказав він.

"Так, не добре", - сказала Ванда. "Я припускаю, що тут є якісь великі створіння, порівняно з якими тиранозавр виглядав би пухнастим кошеням, і я дуже не хочу з ними зустрічатися".

Джек кивнув. Потім він побачив щось таке, від чого його коліна підкосилися. "Але я не думаю, що у тебе є вибір", - сказав він. "Тому що ось вони йдуть!"

Ванда обернулася і побачила двох величезних хижих ящірок, які прямували до озера.

Chapter 4
A stunning idea

Jack and Wanda ducked behind a tree to hide.

"Do you think they saw us?" asked Wanda.

"No, they're 'raptor-saurus' not 'do-you-think-they-saurus'," said Jack. "And raptor-saurus are way scarier."

Wanda gritted her teeth, but said nothing.

Jack peeped out at the giant lizards.

"Wow, those guys are all jaws and claws and they're coming this way."

Wanda pulled out her laser and set it to stun. "OK," she said, "here's what we do. I'll hold them off while you escape back to STEALTH."

Jack shook his head. "Oh, put it away," he said. "That thing will only tickle them. And they don't look like the kind of raptors who enjoy a good giggle."

Розділ 4
Приголомшлива ідея

Джек та Ванда сховалися за деревом.

"Думаєш, вони нас бачили?" - запитала Ванда.

"Ні, це "раптор-заври", а не "як ти думаєш-вони-нас-бачили-заври", - сказав Джек. «А раптор-заври набагато страшніші».

Ванда стиснула зуби, але нічого не сказала.

Джек подивився на гігантських ящірок.

"Вау, у цих створінь одні щелепи та пазурі, і вони йдуть сюди".

Ванда дістала свій лазер і встановила на ньому режим глушіння. "Гаразд, - сказала вона, - ось що ми зробимо. Я затримаю їх, а ти втечеш назад до СТЕЛС".

Джек похитав головою. "О, сховай це", - сказав він. "Ця штука тільки може їх полоскотати. А вони не схожі на хижаків, які люблять посміятися".

Wanda glared at Jack, but she slipped the laser back into her belt. "So, what's your plan, Mr Sci-Fi Spy Guy?" she asked.

Jack scratched his head. He looked around and saw some large, leafy branches lying on the ground. His eyes lit up. "Hey, maybe we can use that laser after all."

Wanda looked puzzled. "But you said it was no use against the raptors."

"It isn't," said Jack. "Their skins are way too thick. But we can use it to make something that will scare them out of their skins."

Jack picked up two of the branches and threw one to Wanda.

She frowned. "What are we going to do? Throw sticks and hope they chase them?"

"No," said Jack. "We are going to use those branches to make fire!"

Ванда зиркнула на Джека, але сховала лазер назад за пояс. "То який твій план, містере науково-фантастичний шпигун?" - запитала вона.

Джек почухав голову. Він озирнувся і побачив кілька великих, вкритих листям гілок, що лежали на землі. Його очі загорілися. "Гей, може, ми все-таки зможемо скористатися цим лазером".

Ванда виглядала спантеличеною. "Але ж ти сказав, що він не допоможе проти хижаків".

"Не допоможе", - сказав Джек. "Їхня шкура надто товста. Але ми можемо використати його, щоб зробити щось, що налякає їх до смерті".

Джек підняв дві гілки і кинув одну Ванді.

Вона насупилася. "Що ж нам робити? Кидати палиці і сподіватися, що вони поженуться за ними?"

"Ні", - сказав Джек. "Ми розпалимо з цих гілок вогонь!"

Chapter 5
Nervous wrecks

Wanda's hand was shaking as she aimed her laser at the two branches.

"This had better work," she muttered.

"It will," said Jack. "Just don't miss."

The laser's red ray hit the dry wood. The wood began to smoke and then it burst into flames.

"Brilliant!" shouted Jack as he grabbed the end of a branch.

Wanda picked up the other blazing branch and waved it at the raptors.

They stopped dead in their tracks.

Wanda and Jack backed away slowly, still holding the burning branches in front of them. The raptors yowled in fury. They followed but didn't dare come too close to the flames.

Jack and Wanda were almost back to STEALTH when Wanda found the flaw in Jack's brilliant plan. "Have you got any more branches, Jack?" she asked.

Розділ 5
Потрясіння

Рука Ванди тремтіла, коли вона націлила лазер на дві гілки.

"Хоч би це спрацювало", - пробурмотіла вона.

"Спрацює", - сказав Джек. "Тільки не промахнися".

Червоний промінь лазера влучив у суху деревину. Вона почали диміти, а потім спалахнула.

"Чудово!" - вигукнув Джек, схопившись за кінець гілки.

Ванда підняла іншу палаючу гілку і помахала нею перед хижаками.

Ті зупинилися на місці.

Ванда і Джек повільно відступили, все ще тримаючи палаючі гілки перед собою. Хижаки заревли від люті. Вони йшли за ними, але не наважувалися наближатися до полум'я.

Джек і Ванда вже майже повернулися до СТЕЛС, коли Ванда знайшла недолік у геніальному плані Джека. "У тебе є ще гілки, Джеку?" - запитала вона.

"No," said Jack. "I thought you had them."

"That's a pity," said Wanda. "Because I haven't and my branch is going to burn out in about... ooh... five seconds."

"Ah," said Jack. "So is mine."

As the flames grew weaker and weaker, the raptors came nearer and nearer.

Jack and Wanda could smell their breath and see the hunger in their eyes.

"I think we may have to try the tickling option after all," muttered Jack.

"Oh right, I'll aim for the funny bone then, shall I?" said Wanda.

She threw the last of her branch at the nearest raptor. Then she pulled out her laser and pointed it at the snarling creatures.

To her and Jack's amazement, the raptors turned tail and ran.

"Wow!" she said. "I guess they were scared of the laser after all."

"Ні", - відповів Джек. "Я думав, що вони у тебе".

"Шкода", - сказала Ванда. "Тому що у мене немає, і моя гілка згорить приблизно через... ооо... п'ять секунд".

"А," - сказав Джек. "Як і моя."

Полум'я ставало все слабшим і слабшим, а хижаки підходили все ближче і ближче.

Джек і Ванда відчували запах їхнього дихання і бачили голод у їхніх очах.

"Гадаю, нам все-таки доведеться спробувати варіант із лоскотанням", - пробурмотів Джек.

"Гаразд, тоді я поцілюсь у смішну кістку", - сказала Ванда.

Вона кинула останню гілку в найближчого хижака. Потім вона витягла свій лазер і направила його на розлючених істот.

На її і Джека здивування, хижаки повернули хвости і побігли.

"Вау!" - сказала вона. "Здається, вони все-таки злякалися лазера".

Jack glanced back over his shoulder.

"Actually," he said, "I think they're more scared of that ginormous T-rex."

"What ginormous T-rex?" said Wanda.

"The one that's about 100 metres behind us and closing fast," replied Jack.

He was right. A T-rex the size of a skyscraper was thundering towards them.

Jack and Wanda looked at each other. "RUN!" they shouted.

They sprinted back to STEALTH, dived in and slammed the hatch shut.

"Welcome back," said STEALTH. "I've fixed the flux field so we are now all-systems-go."

Джек озирнувся через плече.

"Взагалі-то, - сказав він, - я думаю, що вони більше злякалися цього гігантського тиранозавра".

"Якого гігантського тиранозавра?" - запитала Ванда.

"Того, що за 100 метрів позаду нас і швидко наближається", - відповів Джек.

Він мав рацію. Тиранозавр розміром з хмарочос мчав до них.

Джек і Ванда подивилися один на одного. "БІЖИМО!" - закричали вони.

Вони побігли назад до СТЕЛС, пірнули всередину і захлопнули люк.

"Ласкаво прошу назад", - сказав СТЕЛС. "Я полагодив потокове поле, тож тепер у нас все працює."

"Great!" said Jack. "Now take us home STEALTHy, before that T-rex decides we're meals on wheels."

The starship blasted off just as the monster lizard arrived. But then it buzzed around the huge lizard's head like a fly.

The T-rex snapped at it, but missed.

"What are you doing?" squealed Jack.

"Sorry," said STEALTH. "I'm just testing the steering. But the good news is that it seems to be working fine."

"Then please can we go before that T-rex turns us into nervous wrecks!" said Wanda.

At once, the starship shot off up into the clouds.

"Чудово!" - сказав Джек. "А тепер вези нас додому, СТЕЛС, поки тиранозавр не вирішив, що ми їжа на колесах".

Зореліт відлетів в той самий момент, як підбігла ящірка-монстр. Але потім він загудів навколо голови величезного ящера, як муха.

Тиранозавр огризнувся на нього, але промахнувся.

"Що ти робиш?" - закричав Джек.

"Вибач", - сказала СТЕЛС. "Я просто перевіряю кермо. Але хороша новина полягає в тому, що воно, здається, працює нормально".

"Тоді, будь ласка, давай полетимо, поки цей тиранозавр не знищив нас!" - сказала Ванда.

Враз зореліт мить злетів у хмари.

"Phew, that was a close call," said Wanda. "That T-rex was after our blood."

Jack shook his head. "No way, Wanda. I'm TV's Sci-Fi Spy Guy. The big dino was after my autograph!"

Wanda gave him a look that would have scared the fiercest dinosaur. "You cannot be serious," she said.

But Jack just grinned.

"Фух, це була вдала втеча", - сказала Ванда. "Цей тиранозавр жадав нашої крові".

Джек похитав головою. "Не може бути, Вандо. Я ж з телешоу «Науково-фантастичний шпигун». Великому динозавру потрібен був мій автограф!"

Ванда подивилася на нього таким поглядом, який налякав би найлютішого динозавра. "Ти не можеш бути серйозним", - сказала вона.

Але Джек тільки посміхнувся.